rovers
tent
slaapzak
zaklamp
luchtbed
emmers

AVI:	E3
Leesmoeilijkheid:	woorden eindigend op -ts, -rs, -ps, -ns (rups, rovers)
Thema:	kamperen

Zwijsen

Berdie Bartels

Sjors en de vuurman

met tekeningen van Mariëlla van de Beek

Naam: *Sjors*
Ik woon met: *papa en mama*
Dit doe ik het liefst: *fikkie stoken*
Hier heb ik een hekel aan: *wespen*
Later word ik: *vuurman met een wigwam*
In de klas zit ik naast: *Anne*

Een monster in het bos

'Mag ik ook een keer slaan?'
vraagt Sjors.
Papa geeft de hamer aan Sjors.
Ze zetten samen de tent op.
Pats ... pats ...
Sjors mept de haring in de grond.
Zo staat de tent straks goed vast.
Zo stort de tent niet in.
En valt hij niet om.
Mama pompt het bed vol lucht.
Daar gaat Sjors straks op slapen,
als het donker is.
Op het luchtbed, in een slaapzak.
Dat is leuk.
Want het is de eerste keer voor Sjors.
Hij sliep nog nooit in een tent.
En ook nog nooit op een bed vol lucht.
Of in een slaapzak.

Maar Sjors wil nog lang niet naar bed.
Eerst wil hij eens kijken
of hier wel iets te doen valt.

Sjors staat op het paadje voor de tent.
Welke kant zal hij eens op gaan?
Links of rechts?
Het paadje loopt met een bocht het bos in.
Sjors kan niet zien
wat er om de hoek is.

Het is best een donker bos ...
Zouden er rovers zijn?
Verstopt in een hol?
Of een monster in een boom?
Straks verdwaalt hij nog ...
Sjors vindt het hier een beetje eng.
Hij kan er niets aan doen.
En hij moet opeens plassen.
Nu meteen.

De pot op

'Papa, paps, kom gauw!' roept Sjors.
Papa komt er vlug aan.
'Ik moet zo nodig ...
Ik houd het niet meer!'
Papa grijpt Sjors bij zijn arm.
Hij trekt hem mee.
Zo het donkere bos in.
'Vlug,' zegt papa.
'Maar de rovers dan ... en de monsters?'
'Geen gemaar,' zegt papa.
'Plas maar tegen de boom.'
Sjors plast braaf tegen de boom.
'Bah,' piept hij.
Hij hijst zijn broek op.
'Ben je klaar?' vraagt papa.
'Kom dan maar mee.
Dan wijs ik je waar je voortaan
kunt plassen.'

Bij de tent staan twee emmers.
Met een deksel.
Mama laat ze zien.

‘Die is voor jou, en deze voor ons.’
‘Bah, plassen in een emmer,’ zucht Sjors.
Hij vindt het maar stom.
Een plas doen als je kampeert ...
Het lijkt net of hij op het potje moet.
‘Ik ga kijken of hier iets te doen is,’
zegt hij.
Ik ga gewoon, denkt hij.
‘Die rovers kunnen de pot op,’
zegt hij stoer.
‘Tot straks!’ zeggen papa en mama.
En daar gaat Sjors.

Sjors gaat twee keer rechts.
En drie keer links.
Het is donker in het bos.
Opeens hoort Sjors een vreemd geluid.
Er zoemt iets bij zijn oor.
En ... er kriebelt iets op zijn arm.
Het is een wesp.
Sjors slaat wild om zich heen.
‘Au!’ roept hij als de wesp steekt.
Sjors denkt niet na en rent terug.
Naar de tent, en hij verdwaalt niet.

Plat

Sjors krijgt een kus van papa.
Op de bult van de wesp.
Dan stopt mama hem lekker in bed.
Ze doet de rits van de tent dicht.

Daar ligt Sjors, in zijn eigen tent.
Het is stil.
Hij hoort alleen het geklets
van papa en mama.
Ze zitten buiten, voor de tent,
met een kaars.
Opeens zoemt er iets bij Sjors zijn oor.
'Help, mama, help me, er zit een weps!'
'Een weps?' roept mama.
'Een wesp ken ik wel,
maar een weps ken ik niet, hoor!'
Mama trekt vlug de rits open.
Ze heeft een krant in haar hand.
'Schijn eens even bij.
Ik zie niets.'
Sjors pakt snel zijn zaklamp.
En knipt hem aan.

'Dat is geen wesp, dat is een mug,'
zegt mama.
Ze steekt de krant in de lucht en ...
Pets!
Ze slaat hard om zich heen.
'Mis!' roept ze.
'Kom hier, raar beest!'
Pets!
Dat was raak: de mug is plat.
'En nu gauw slapen.
Want het is al erg laat,'
zegt mama.

Maar Sjors valt niet in slaap,
hoe moe hij ook is.
Hij denkt aan die rare wesp.
En aan een plas doen in het bos.
Hij denkt aan rovers in een donker hol.
En aan zijn vriendjes, thuis.
En aan zijn eigen bed ...

Morgen ga ik op zoek naar een vriend,
denkt Sjors.
En dan valt hij in slaap.

Spannend!

Sjors eet pap bij het ontbijt.
Hij wipt op en neer met de klapstoel.
'Wat is er met jou aan de hand?'
vraagt papa.
'Ik ga straks op zoek naar een vriend.
In het bos,' zegt Sjors.
'Wat is dat nou voor raars,' zegt mama.
'Dat is niet raar, dat is lekker eng!'
roept Sjors.
'Maar eerst gaan we kijken of er post is,'
zegt papa.
'Dat is niet eng, maar wel leuk!'

Papa en Sjors gaan naar een houten huis.
Daar zit een man aan een tafel.
'Is er nog post voor ons?' vraagt papa.
De man loopt naar een kast.
Hij pakt de post eruit.
'Er is een kaart van Nina voor Sjors.
Dat ben jij toch?' vraagt hij.
Sjors springt een gat in de lucht.
Er is post voor hem van Nina!

Ze is nieuw in de klas.
Nina is net verhuisd.
Ze woonde eerst bij de zee.
En nu mist ze haar opa elke dag.
'Wil jij ook een kaart sturen?'
vraagt de man.
Dat wil Sjors maar al te graag.
De man heeft een molen vol kaarten.
Sjors kiest er een uit.
Er staat een rups op.
'Die is voor Nina,' zegt hij.
'En nu moet ik gaan.
Want ik zoek nog een vriend.'

'Ga jij maar naar de tent, papa.
Ik kom straks.
Ik zoek eerst nog een vriend.'
Papa loopt weg.
Sjors loopt het bos in.
Opeens staat hij stil.
Wat ruikt hij daar?
En ... wat een vreemd geluid!

winkel
open

Een man met een staart

Sjors steekt zijn neus in de lucht.
Hij ruikt vuur.
Zijn dat de rovers?
Die een vuur maken bij hun hol?
Krrrak!
Hij trapt met zijn laars
op een tak die hard kraakt.
Sjors blijft heel stil staan.
Zijn hart bonkt in zijn keel.
Hij wil hier weg, maar hij durft niet.
Stil gluurt hij het bos in.
Daar staat een tent met een puntdak.
Een wigwam!
En voor de wigwam zit een man
met een staart.
En een jongen met een pet.
En er is een groot vuur.
Opeens zoemt er weer iets bij zijn oor.
'Help, een wesp!' gilt Sjors.
Hij slaat wild om zich heen.
'Stil maar, die wesp doet je niets.'
De man met de staart staat op

Hij loopt recht op Sjors af.
Sjors blijft stokstijf stil staan.
De wesp zit op zijn arm.
En de man staat nu vlak voor zijn neus.
'Als je hem met rust laat, doet hij niks.'
De man lacht naar Sjors.
Sjors kijkt met grote ogen naar de man
en naar zijn arm.
De wesp kijkt Sjors even aan,
en vliegt dan weg.
De jongen met de pet is er nu ook.

‘Hoi,’ zegt hij.
‘Dit is Tim, mijn zoon.
Hij zoekt een vriend,’ zegt de man.
‘Net als ik!’ lacht Sjors.
‘Ik ben ook op zoek naar een vriend.’
‘Dat komt goed uit!
Dan heb je nu een vriend!’ zegt de man.
Hij steekt zijn hand uit naar Sjors.
‘En ik ben Mats.’
Sjors pakt de grote hand van Mats.
‘En ik ben Sjors.
Leuk dat ik jullie nu ken!’

Drie dikke vrienden

Mats laat zien hoe hij een vuur maakt.
Sjors en Tim helpen mee.
Sjors sleept een grote tak naar het vuur.
Hij legt hem op de kleine vlammen.
Mats geeft een lange stok aan Tim.
'En nu flink prikken met die stok!'
roept Mats.
Tim prikt in het vuur.
'Mooi zo, dat gaat goed!'
Het vuur wordt heel hoog.

Sjors kijkt trots naar de vlammen.
Tim kijkt trots naar Sjors.
Mats slaat een arm om hen heen.
Drie vrienden bij het vuur.

Tim loopt met Sjors mee naar zijn tent.
Hij geeft papa en mama een hand.
'Dag,' zegt Tim.
'Pap, mam, dit is Tim, mijn vriend.'
'Hallo,' zegt papa.
'Hoi Tim,' zegt mama.
Ze kijkt Sjors trots aan.

‘Je ging op zoek naar een vriend.
En nu heb je er één!’
Krrrak.
Er kraakt iets bij de tent.
Daar komt Mats, uit het bos.
‘Nee, mam, je hebt het mis.
Ik heb niet één vriend,
maar ik heb er twee!
Dit is Mats, de vuurman.
Dus hier staan drie dikke vrienden!’

Papa, mama en Sjors staan bij de tent.
Mats en Tim gaan weer naar hun wigwam.
‘Dag!’ roept Sjors.
Hij zwaait naar Tim en Mats.
Dan klinkt er een hard gezoem.
‘Pas op, een wesp!’ gilt mama.
‘Help!’ roept papa.
Ze slaan wild om zich heen.
‘Stil maar, hij doet niets,’ zegt Sjors.
Hij blijft heel stil staan.
‘Dag rare wesp!’ roept hij.
En daar gaat de wesp ...
Het donkere bos in.

Wil je meer lezen over Nina en haar opa op pagina 17?
Lees dan 'Nina, opa en de zee'. Nina is net verhuisd met haar papa en mama. Ze woonden eerst aan zee.
Opa woont nog steeds in het oude huis.
Nina mist de zee, maar haar opa mist ze het meest!
Dan bedenkt ze een plan ...

In deze serie zijn de volgende Bikkels verschenen:

Sjors en de vuurman
Nina, opa en de zee
Kaspers geheime hond
De schat van de zeerover
De vliegfiets
Op reis met oom Hein
Kootje de kok
Alles in de hoed

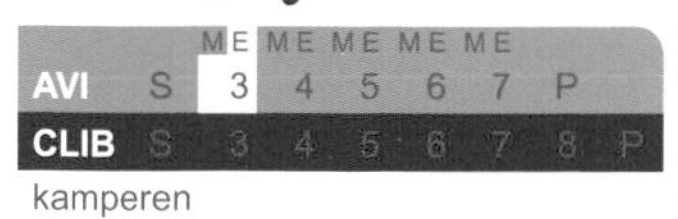

Toegekend door Cito i.s.m. KPC Groep

1e druk 2007

ISBN 978.90.276.7226.1
NUR 282

Illustraties: Mariëlla van de Beek
Vormgeving: Rob Galema
Uitgeverij Zwijsen B.V., Tilburg

Voor België:
Zwijsen-Infoboek, Meerhout
D/2007/1919/440